Este livro de atividades pertence a:

Muitas mulheres realizaram coisas extraordinárias com coração, talento e sonhos. Aventure-se nestas atividades e inspire-se em como você pode mudar o mundo!

Escreva sua própria história com Jane Austen

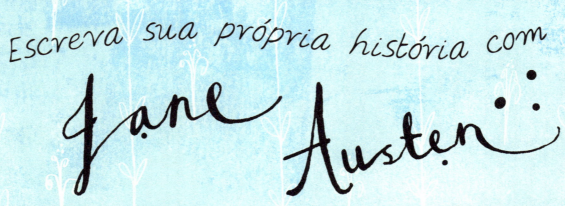

Jane Austen escrevia em segredo, pois em **1811** as pessoas achavam que mulheres não deveriam ter empregos. Hoje em dia, os livros de Jane estão entre os melhores do mundo.

Se você fosse uma escritora ou um escritor, sobre o que escreveria?

Uma história sempre possui um grande herói. Quem é o herói ou heroína de sua história?

Conte o nome dele ou dela, sua aparência e o que o personagem faz de importante.

O herói ou heroína, em geral, precisa derrotar um vilão ou um inimigo. Quem serão os vilões de sua história?

Conte o nome dele ou dela, sua aparência e o que o personagem faz de tão malvado.

Catherine Morland
A abadia de Northanger

Elizabeth Bennet
Orgulho e Preconceito

Emma Woodhouse
Emma

Sr. Darcy
Orgulho e Preconceito

Sr. Walter Elliot
Persuasão

Sra. Norris
Mansfield Park

Uma boa história sempre começa com uma frase de impacto. Continue a história abaixo.

Era uma noite escura e tempestuosa.

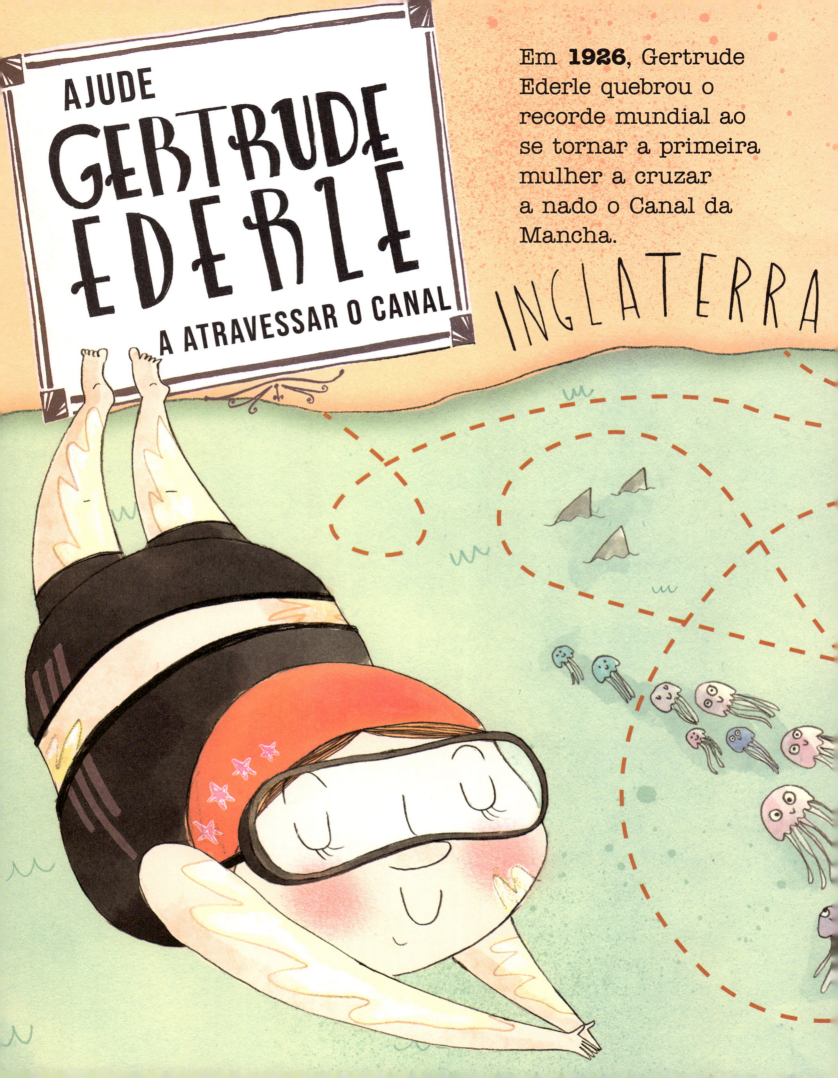

Em **1854**, Mary Seacole viajou da Jamaica até a Crimeia para construir um hospital voltado aos soldados feridos na Guerra da Crimeia, independentemente de que lado estivessem lutando.

GRANDES MULHERES

Anne Frank

SACAGAWEA

Rosa Parks

Chiquinha Gonzaga

COMO VOCÊ VAI

MARY SEACOLE

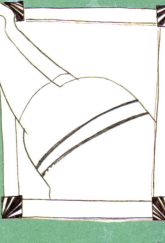
GERTRUDE EDERLE

Você pode ajudá-los a sair do labirinto?

INÍCIO

Encontre seu caminho pelos Estados Unidos com SACAGAWEA

Em **1804**, a jovem ameríndia Sacagawea ajudou um grupo de 40 exploradores em uma expedição de descoberta a encontrarem o caminho até o oeste dos Estados Unidos. E ela fez o trajeto todo com um recém-nascido nas costas! Eles percorreram 6.400 quilômetros pelas Montanhas Rochosas e por corredeiras de rios turbulentos, atravessando tempestades furiosas.

Alcance as notas mais altas com...
Chiquinha Gonzaga

Nascida em **1847**, no Rio de Janeiro, Brasil, Chiquinha Gonzaga aprendeu a tocar piano ainda criança. Na época, acreditava-se que as mulheres não deveriam se apresentar publicamente, mas Chiquinha queria dar outros rumos a sua vida e seguir uma batida diferente.

Desenhe-se de uma forma diferente com... Frida Kahlo

A artista mexicana Frida Kahlo usou a arte para dizer exatamente o que pensava e sentia — algo incomum para as mulheres da época!

Frida pintou muitos autorretratos. Desenhe seu autorretrato na moldura ao lado. Você pode se pintar como bem entender!

Frida também gostava de pintar animais. Ela os usava para demonstrar o que estava sentindo. Frida pintava cachorros quando estava tomando decisões importantes e pintava macacos para mostrar a importância da família.

Qual animal representa o que você está sentindo? Pinte na moldura acima.

Copie e pinte o desenho de Amelia em seu avião. Use a grade como guia.

Escreva um diário com Anne Frank

Durante a Segunda Guerra Mundial, uma menina judia de 13 anos chamada Anne Frank precisou se esconder em um anexo secreto, junto com sua família, para fugir da perseguição aos judeus. Anne manteve um diário enquanto permaneceu escondida. Hoje em dia, pessoas do mundo inteiro leem seu diário.

Use o espaço abaixo para escrever uma página de seu próprio diário.

Anne colou fotografias de sua família, de seus amigos e de coisas favoritas na parede de seu quarto no anexo.

Cole fotografias ou desenhe você e sua família nesta página.

APAREÇA NO JORNAL COM
{EMMELINE PANKHURST}

Emmeline Pankhurst e as *suffragettes* viraram notícia quando, em **1903**, elas usaram "ações, não palavras" para a campanha pelo direito ao voto das mulheres. Elas interromperam discursos políticos, marcharam com cartazes e algumas até se acorrentaram aos portões de prédios importantes. Em **1918**, a lei por fim foi alterada: mulheres com mais de 30 anos receberam permissão para votar!

Escreva uma notícia de jornal na página ao lado sobre algo em que você acredita ser realmente importante. Decore-a com adesivos.

Use as palavras deste boxe, se quiser.

Apaixonado(a)	Acreditar	Lei
Justo(a)	Mudar	Problema
Determinado(a)	Inspirar	Povo
Forte	Campanha	Protesto

Manchete

Escreva sua história aqui

Desenhe uma imagem aqui

Conduza experimentos com Marie Curie

Marie Curie foi uma cientista brilhante que estudou a radioatividade. Enquanto estudava os raios X, ela descobriu o elemento químico rádio, que pode ser utilizado para tratar pessoas com câncer. Marie é a única mulher que recebeu dois Prêmios Nobel, um de Física e outro de Química.

Como seria um raio X da sua própria mão? Desenhe o contorno de sua mão. Você pode acrescentar os ossos também, usando a figura ao lado como exemplo.

Proteste contra a desigualdade com

Rosa Parks

Rosa Parks inspirou uma revolução em **1955** quando ela se recusou a ceder seu lugar no ônibus a um passageiro branco.

Desenhe um cartaz com as palavras "Lute pelo que você acredita".

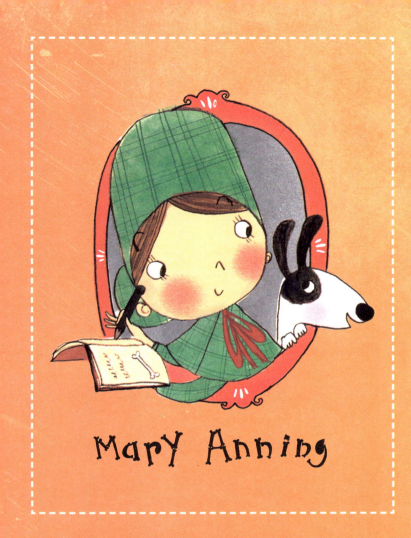

Mary Anning

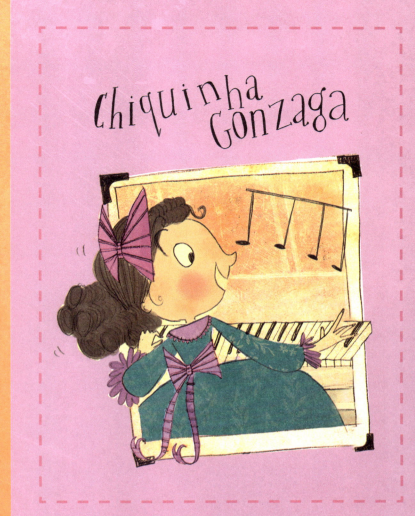

Chiquinha Gonzaga

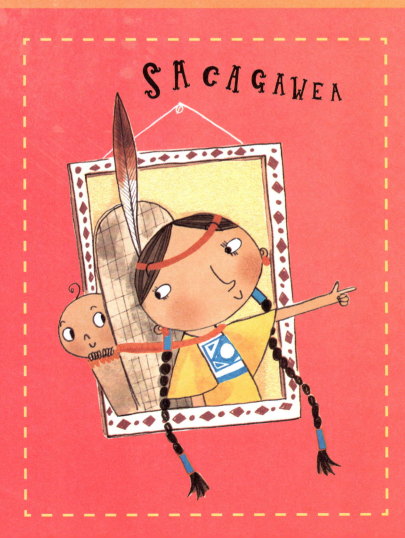

Sacagawea

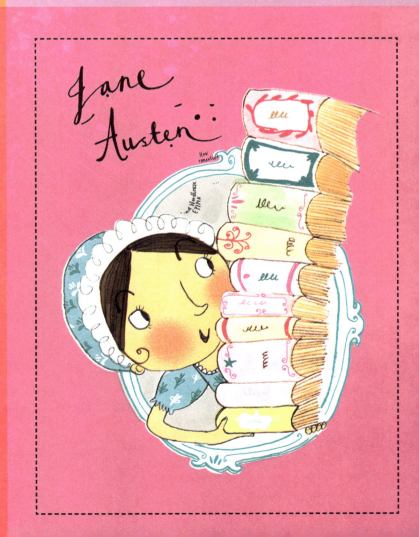

Jane Austen

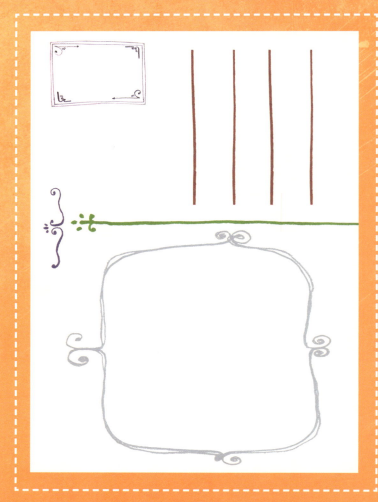
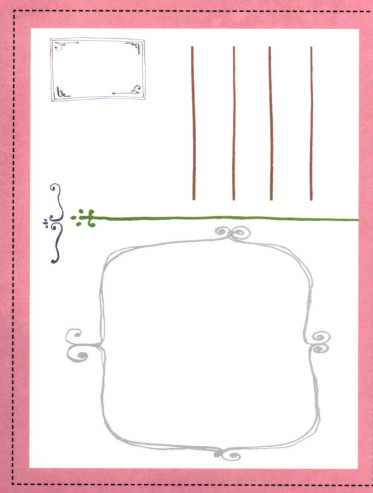
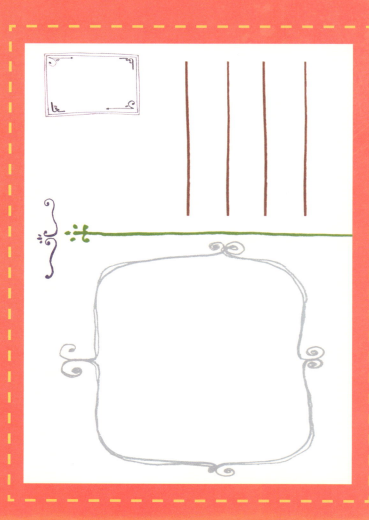

Rosa Parks

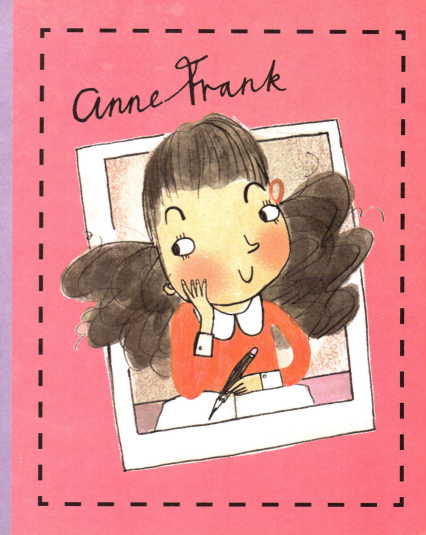

Anne Frank

Marie Curie

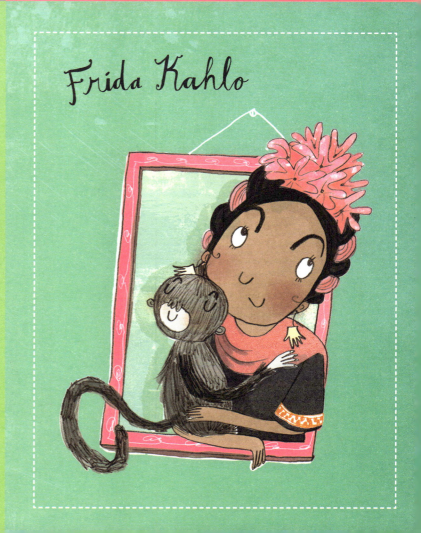

Frida Kahlo

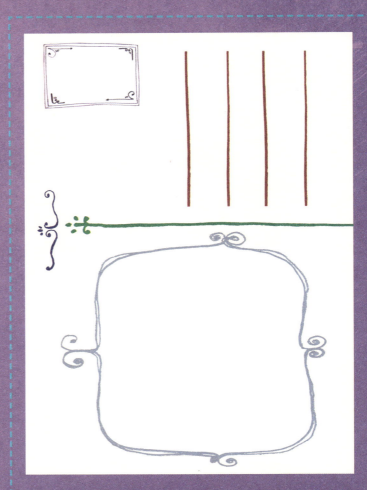
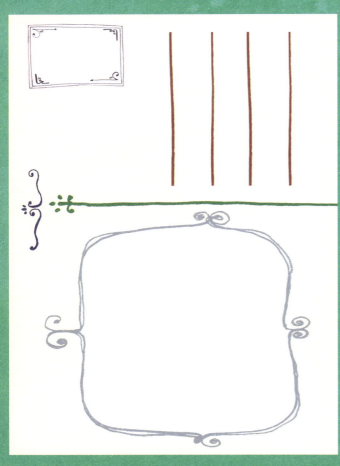
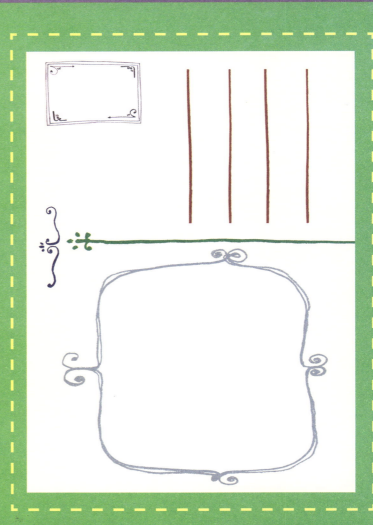

RESPOSTAS

GERTRUDE EDERLE

Mary Anning

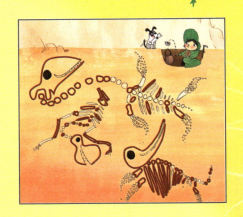

Agente Fifi

FIFI   SEMPRE
ZOO   SIGA
PAZ   SEU
GUERRA SONHO

MARY SEACOLE

Chiquinha Gonzaga

Fá Ré Si Lá Mi Sol Dó

SACAGAWEA